金色童书
Golden Books

Richard Scarry　理查德·斯凯瑞 [美]

农夫猪 和 绿皮龙

还有蚯蚓爬爬！

贵州出版集团公司　贵州人民出版社

Richard Scarry 理查德·斯凯瑞 [美]

农夫猪和绿皮龙

还有蚯蚓爬爬！

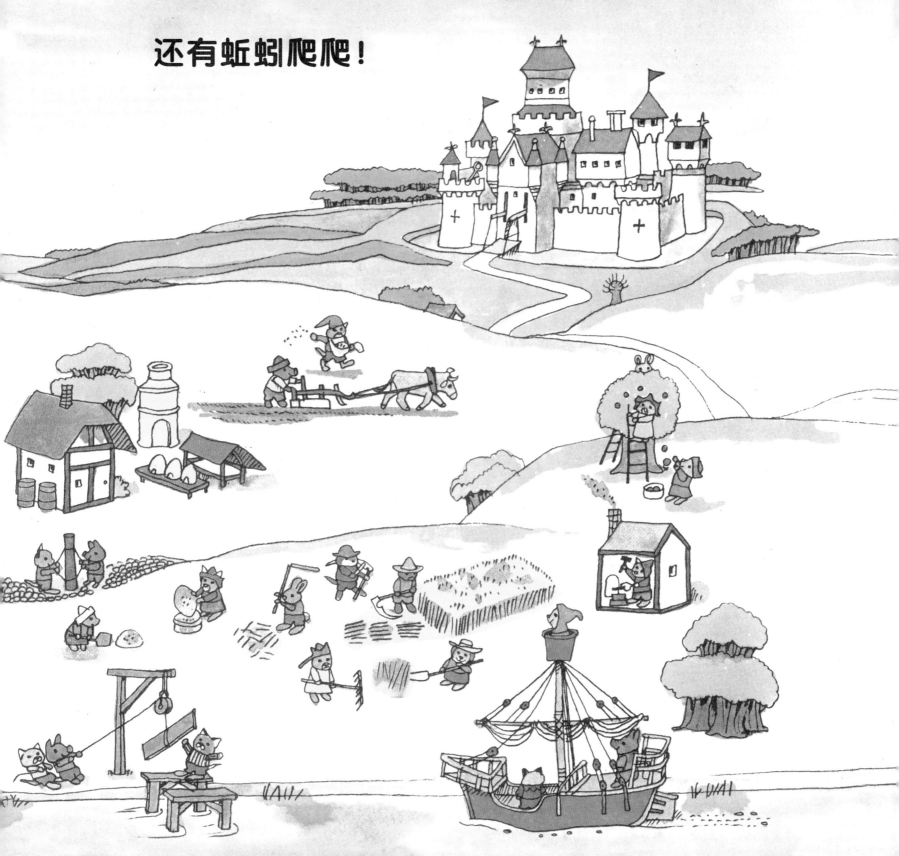

热闹国的大城堡里住着国王、王后，还有很多勇士和宫廷侍女。

国王最大的骄傲和快乐就是他的小女儿—— 莉莉公主。

皇室的晚餐要准备很长时间，每当晚餐到来之前，快乐公主就会为宫里的人们跳舞。

宫廷厨师大河马希尔达，正端着国王爱喝的汤走过来。小心啊，希尔达！

热闹国的农民们，居住和耕作在城堡周围。他们中间脾气最好、干活最努力的是农夫猪。

莉莉公主总爱坐着她的皇家马车，到城堡外面游玩，农夫猪每次都对她挥手打招呼。

农民们收割完麦子，去掉外面的谷壳，
把谷粒送到磨坊去磨成面粉。

面包师佛格斯用面粉做出了美味的面包。

踩呀踩！爬爬干得真棒！

在收获的季节里，农民们把葡萄摘下来
放进大桶里，用双脚踩成葡萄汁。

　　一天，国王公布了热闹国新的节日。人们跑到城外的田野里去庆祝。骑士们进行马上比武，想把对方打下马去。噢，这可真是野蛮的游戏！农民们有的摔跤……有的踢球。

他们一边跳一边唱，还喝了很多的葡萄汁。那个玩杂技的人正在耍盘子！农夫猪在练习长矛，他非常想成为一名骑士。

小心啊，农夫猪！那个木偶骑士说不定会反击哦！

农夫猪击中了目标，但是，木偶骑士转了一圈却把农夫猪打了回去。
你忘记蹲下啦，农夫猪！在成为真正的骑士之前，你还需要好好练习呢。

农夫猪和爬爬在练习投环游戏。爬爬把自己当做环扔了出去——中了！
农夫猪赢了射箭比赛。他用弓箭射中了放在树桩上的苹果。

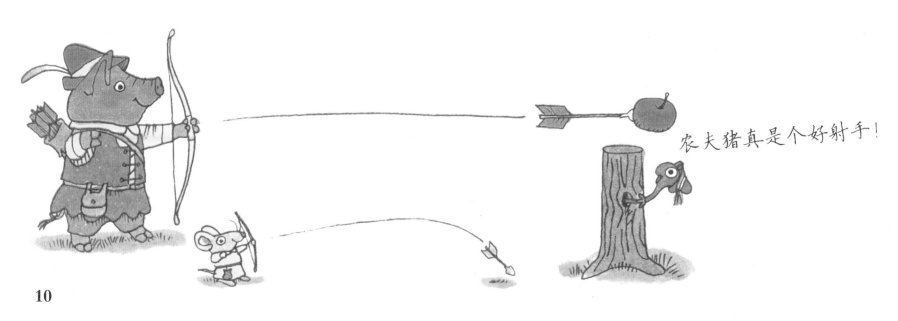

农夫猪真是个好射手！

突然，树林里传来呼救的声音。"发生什么事了？"人们都在问。
农夫猪用弓把爬爬当成箭射向空中。"你看到什么了？"他问爬爬。

"一条绿色的龙！"

爬爬喊道。"大家快跑啊！快逃命啊！"

大家向城堡里跑去。国王、王后、
骑士和宫女们，还有农夫猪，所有的
人都穿过吊桥向那座又大又安全的城
堡里跑去。

农夫猪最后一个跑到吊桥上，卫兵们急急地收起了吊桥。现在，那条龙要费点功夫才能进入城堡了。

大家安全地待在城堡里——除了莉莉公主。

她去田野里玩了，还没有赶回来。

"快去找到她！"国王着急又生气地大喊。

"救救我的孩子！"王后难过地哭着。

农夫猪想帮国王和王后找回公主。"我去瞭望塔看一下。"他说。

但是，他和爬爬都没看到公主。"爬爬，我又要你帮忙了。"农夫猪说。

他又把爬爬送到空中去了。

"你看到什么了，爬爬？"农夫猪问。

"我看到公主了！"

爬爬喊道。"那条绿皮龙把卫兵都绑起来了。公主也被抓住了！"

当农夫猪把爬爬看到的情况告诉国王时，
国王都快要气疯了。

"我要让那条龙看看！"他咆哮着，
"把我的骑士叫来！让他们宰了绿皮龙，
救回我的小莉莉！"

农夫猪真希望自己是个骑士，
他非常想去救公主。

骑士们穿戴好盔甲就冲了出去，他们要去打败可怕的绿皮龙。

16

盔甲太重了，他们必须要农夫猪帮忙才能骑上马。"谢谢你。"骑士们对农夫猪说。

森林里，可怜的莉莉公主被绿皮龙绑起来，
放进大桶里让她踩葡萄汁。
　　皇家卫兵们也被绑上了，根本帮不了她。

来解救公主的骑士们，冲出城堡，跨过护城河上的吊桥，向森林飞奔过去。

勇敢的骑士们开始冲锋了……

19

绿皮龙一下子站了起来！

20

骑士们的马给吓坏了。突然停了下来，害得骑士们摔下了马鞍。

骑士们仰面朝天地摔倒了。盔甲太重害得他们
爬不起来了。绿皮龙大声地嘲笑他们。哎！真可恶！

等等！那不是一条真正的龙，而是一伙假扮成龙的强盗！
他们看到骑士们爬不起来，就扔掉了伪装。

强盗们把骑士们绑了起来，还穿上了他们的盔甲。

现在，这群强盗觉得自己就是英勇的骑士了。哦，一群坏家伙！

莉莉公主看见莫伯特——强盗的头儿，向城堡射了一枝箭。

那枝箭贴着国王的脑袋飞了过去。
爬爬看见上面还绑着张纸条。

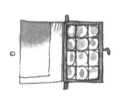

箭飞进厨房，正好落到希尔达
烤好的蛋糕上。希尔达生气极了。

"我刚做好的漂亮蛋糕被人弄坏了！"
她大哭着。希尔达真的气坏了，她把蛋糕从
窗户扔了出去。爬爬赶紧去找那张纸条。

强盗们正坐在森林里喝着葡萄汁。
突然，希尔达的蛋糕飞了过来，这下可以和果汁一起下肚了。

城堡里，农夫猪和爬爬把强盗的纸条拿给国王看。
纸条上写着，"交出你的金子和珠宝，就让公主回家。"签名是莫伯特和他的可怕龙。
国王被纸条上的内容吓坏了，赶紧冲到金库去拿他的金子和珠宝，准备送给强盗换回公主。

农夫猪决定自己去救公主。"我有个主意,"他对爬爬说,"需要有很多肥皂才能办到。"
希尔达把城堡里所有的肥皂都拿来了。农夫猪用肥皂装满投掷机,自己也爬进筐去。
爬爬在旁边操纵机器。

瞄准点！爬爬！

爬爬瞄得
真准啊!

辟辟啪啪!

农夫猪和所有的肥皂正好落进莉莉公
主正在踩葡萄汁的大桶里。

葡萄汁马上变成了葡萄味的肥皂水。
你们最好小心点! 强盗们!

咕嘟!

咕嘟!

"啊，葡萄汁越来越好喝了！还有好玩的泡泡！"莫伯特傻乎乎地说。

莫伯特、梅伯特、奥伯特、艾伯特，还有沙伯特
都大口大口地喝着葡萄味的肥皂水。

"哎呦！" 他们很快就大叫起来。

"水！我们要喝水！"

强盗们，出什么事啦？你们不是喜欢喝农夫猪做
的葡萄味肥皂水吗？

"护城河里有水！"莫伯特吐着泡泡说。
强盗们都跳进护城河里拼命喝起水来。

"啊，现在好多了。"莫伯特冲干净嘴里的肥皂水后说。
他和其他强盗们都想从河里爬出来，可是身上的盔甲太重了。

"我们上当了！"他们这才明白过来。

"那好像是莫伯特一伙。"国王在瞭望塔上发现了他们

希尔达也想看看强盗们的样子。
希尔达！当心别掉下去！

啊——哦！

希尔达好像没听到。

希尔达摔到河里，溅起一大片水花，
正好把强盗们给冲到河岸上去了。

"快看，强盗们就要回来了！"农夫猪对莉莉公主说，
"我们得快点，公主，那条绿皮龙在哪儿？"
"根本就没有龙，"她告诉农夫猪，"那是强盗们假扮
的，龙皮就在树林里。"

"啊哈!"农夫猪又想出一个主意。"现在我知道该怎么做了。
在这儿等我,别担心!"他跳出了大酒桶。

他解开了骑士和卫兵的绳子。
"快点跟上我!"农夫猪对他们说,"现在该我们扮成龙了。"

当强盗们靠近树林的时候，农夫猪他们装扮的绿皮龙就扑了过去！

"龙！" 莫伯特、梅伯特、奥伯特、艾伯特，
还有沙伯特都尖叫起来。强盗们吓坏了。

穿着盔甲的强盗们摔倒在地上，爬不起来了。

农夫猪飞快地把他们都绑了起来，

又回去给莉莉公主松了绑。"我会让你骑着绿皮龙回家。"他对公主说。

莉莉公主开心地笑着，跳到农夫猪和伙伴们扮的龙背上。

国王在城堡里看到他的女儿和绿皮龙，觉得非常难过。他不知道那条龙是农夫猪假装的。

希尔达也觉得那龙是真的。

"救命啊！"她大叫着，"快把吊桥放下来让我进去！"

38

这时候，爬爬想了个主意，他对国王说："我知道怎么阻止那条龙，只要胡椒粉就行了。"
国王赶紧跑到厨房，拿了一瓶胡椒粉给他。

"把胡椒瓶拴在我脖子上，"爬爬说，
"现在，我需要墨菲的帮助。"

于是，爬爬让墨菲用弓把他射向绿皮龙。
爬爬，你真是枝好箭啊！

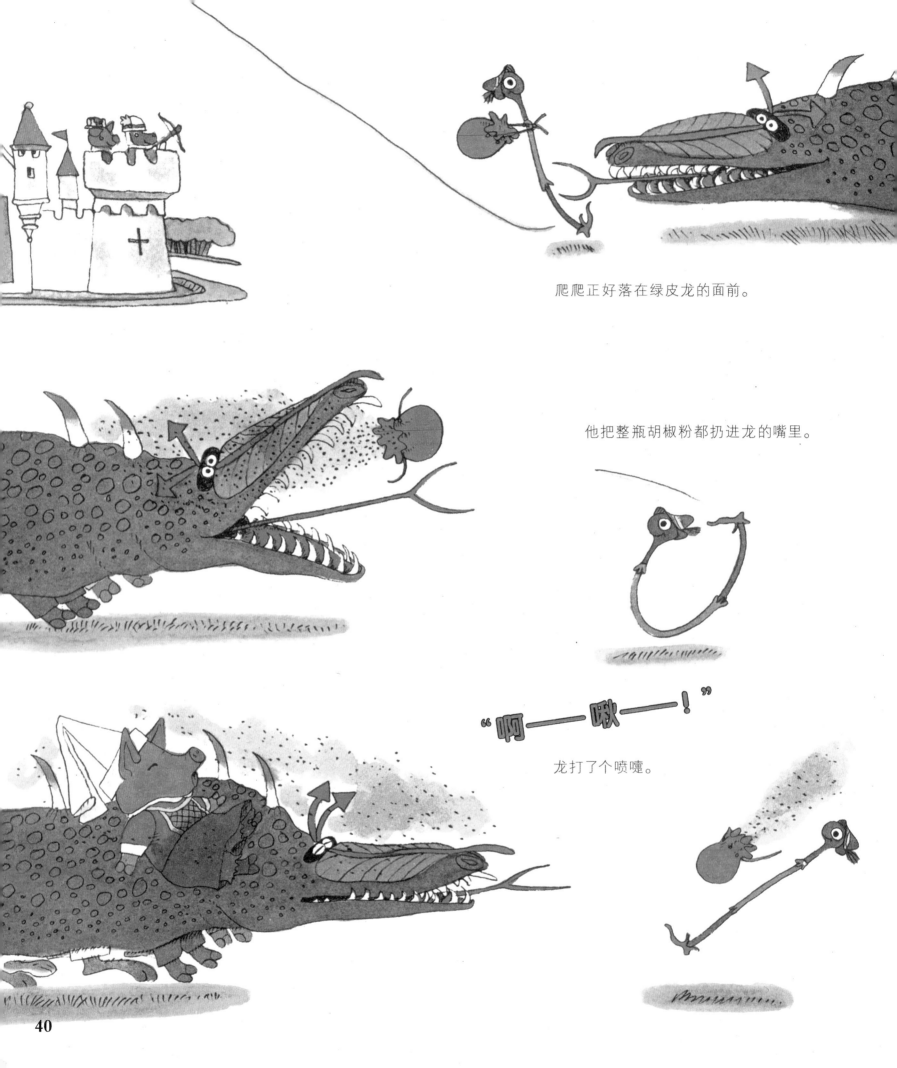

爬爬正好落在绿皮龙的面前。

他把整瓶胡椒粉都扔进龙的嘴里。

"啊——啾——！"

龙打了个喷嚏。

"啊——啾——！" 农夫猪打了个喷嚏。

"啊——啾——！" 莉莉公主打了个喷嚏。

"啊——啾——！" 骑士和卫兵们都打了个喷嚏。

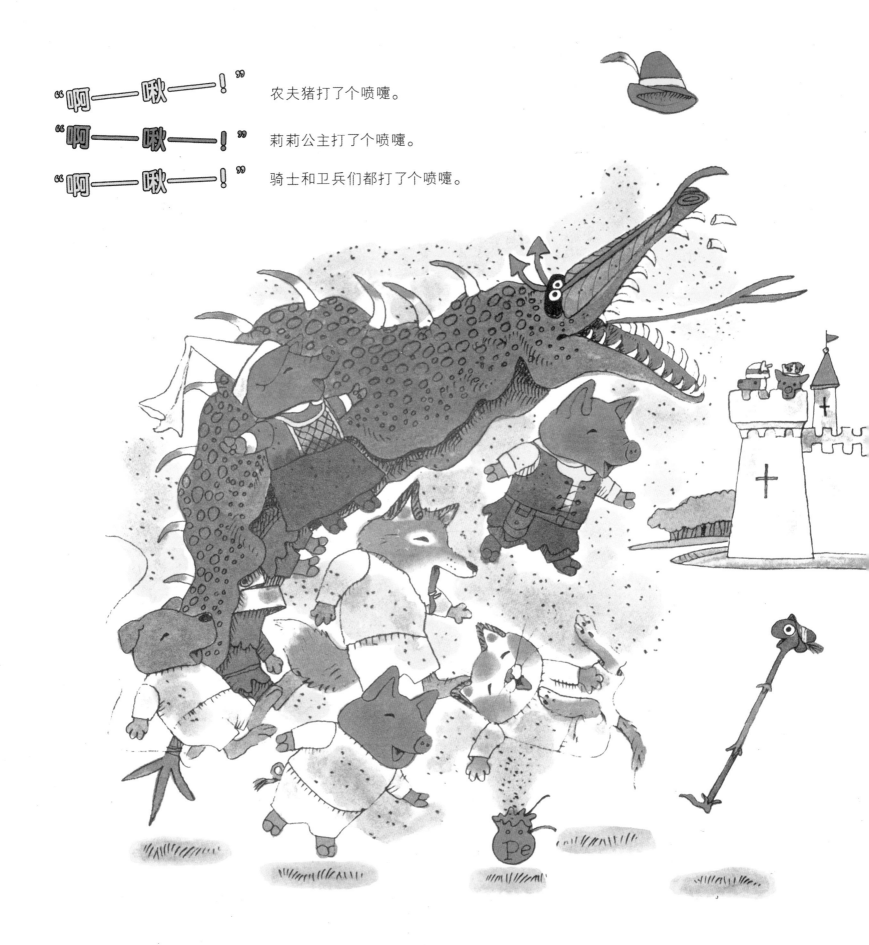

大家都从龙皮里摔了出来。

"嗨！爬爬。"农夫猪打了个招呼。

莉莉公主使劲亲了农夫猪一下。

"我们要怎么谢谢你呢?"她问道。

"我知道应该怎么做,"国三回答说,"快跪下,农夫猪。"
他把皇室的宝剑轻轻放在农夫猪的肩膀上。

"我任命你为农夫猪爵士,王国最勇敢的骑士。"
他还赐给新爵士一身闪闪发光的盔甲。

"还有爬爬，"国王继续说，"你是一个有趣的家伙，我任命你为宫廷小丑。"他也赐给爬爬最好的小丑衣服。

大家都非常开心，当然也包括王后。她都开心得哭起来了！

那些强盗们被送进了地牢。他们在那里的工作就是煮汤，一天到晚的煮汤，根本没机会再扮龙了！

"我们得庆祝一下！"国王宣布。

"对啊，一定要庆祝！"大家欢呼着。

他们在餐桌边坐下来，享受国王赐予的美味。

爬爬，
你还要多练习啊！

为了让国王开心，小丑爬爬耍起了他的新把戏——扔鸡蛋！

大家看着他的表演都开心地笑起来。

爬爬把没有摔碎的鸡蛋送回了厨房。

希尔达又烤好了一个漂亮的蛋糕。
她捧着它向餐桌走去。

国王正要切蛋糕的时候，里面突然跳出来一条小龙！
大家被吓坏了。那条龙伸出舌头—— 你猜它想要干什么？

原来是蚯蚓爬爬呀！它可真会开玩笑啊！

从那天开始，热闹国的每个人都过着幸福愉快的生活。

图书在版编目（CIP）数据

农夫猪和绿皮龙／（美）斯凯瑞编绘；康宁译．
—贵阳：贵州人民出版社，2009.7
（蒲公英图画书馆．金色童书系列）
ISBN 978-7-221-08670-9

Ⅰ．农…　Ⅱ．①斯…②康…　Ⅲ．图画故事—美国
—现代　Ⅳ．I712.85

中国版本图书馆 CIP 数据核字（2009）第 160882 号

如发现有印装质量问题，请与印刷厂联系调换
版权所有，未经许可，不得转载

农夫猪和绿皮龙　[美]理查德·斯凯瑞 著　康宁 译

出 版 人	曹维琼
策　　划	远流经典文化
执行策划	颜小鹂　李奇峰
责任编辑	苏桦　静博
设计制作	RINKONG 平面设计工作室
出　　版	贵州出版集团公司
	贵州人民出版社
地　　址	贵阳市中华北路 289 号
电　　话	010-85805785（编辑部）
	0851-6828477（发行部）
网　　址	www.poogoyo.com
印　　制	北京国彩印刷有限公司（010-69599001）
版　　次	2009 年 10 月第一版
印　　次	2010 年 5 月第二次印刷
成品尺寸	250mm×285mm　1/12
印　　张	4
书　　号	ISBN 978-7-221-08670-9
定　　价	16.80 元